Gare aux loups !

À Carter Niemeyer et Jim Brandenburg,
ex-chasseurs devenus protecteurs des loups.
J.-M. Defossez

À papi André, Thibault et Thimoté.
F. Mense

Les mots du texte suivis du signe * sont expliqués
sur le rabat de couverture.

www.editions.flammarion.com

87, quai Panhard et Levassor – 75647 Paris Cedex 13
Dépôt légal : juillet 2008 – ISBN : 978-2-0812-1119-3
Loi n°49-956 du 16 juillet 1949 sur les publications destinées à la jeunesse

Jean-Marie Defossez

Fabien Mense

Gare aux loups !

– Alors, jeunes gens, demande-t-il en anglais, vous venez filmer les geysers* ?

– Et les bisons dans la neige ! répond Madame Henry.

– J'aimerais profiter de l'occasion pour essayer d'observer des loups, ajoute Claire qui, comme ses deux frères, se débrouille très bien en anglais. Pouvez-vous me dire s'il y en a dans le secteur ?

Le solide *rancher*[1] s'empare d'une partie des bagages et grommelle :

– Ne me parlez pas des loups ! Ils devaient nous attirer des touristes… Ici, en bordure du parc, nous n'avons vu venir que des ennuis. Je vous le dis tout net : les seuls bons loups sont les loups morts !

Il est déjà tard. Les Sauvenature ont juste le temps de s'installer dans leur chambre avant la tombée de la nuit. À l'extérieur, la

[1] *Rancher* (mot anglais) : propriétaire de ranch.

température descend à dix degrés en dessous de zéro. Wifi et les trois enfants se rendent au salon. Un jeune garçon, agenouillé devant la cheminée, dispose des bûches sur un lit de fines brindilles.

– Salut, je m'appelle Tony. Je suis le fils de la maison. Vous allez voir : rien de tel qu'un bon feu de bois pour se réchauffer !

Alors que des flammes s'élèvent dans la cheminée, les Sauvenature font connaissance avec Tony. Il est âgé de seize ans et se dit particulièrement doué pour pister les animaux.

Claire s'enthousiasme en apprenant qu'il a plusieurs fois aperçu des loups :

– Ça devait être super !

– Carrément ! fait Tony. J'adore me balader dans la nature et pister. J'ai appris tout petit avec mon grand-père. J'ai déjà plein de trophées. Venez dans ma chambre, je vais vous les montrer.

Les trois enfants, suivis de leur furet, découvrent une pièce surprenante. Sur le mur de droite sont accrochés des raquettes de trappeurs et des trophées de chasse ; sur la cloison de gauche, des armes à feu.

– Ça, c'est ma collection personnelle, explique Tony. Là, vous voyez un ancien fusil à poudre de la guerre de Sécession[1]. À droite, il y a mon colt de cow-boy et, en dessous, la célèbre Winchester que l'on voit dans tous les westerns.

[1] Guerre de Sécession (1861-1865) : guerre civile américaine qui opposa les États du Sud aux États du Nord.

– Ils ne sont pas chargés au moins ? s'inquiète Thomas.

– Mais non, assure Tony. Ne craignez rien !

Claire est perplexe. Il ne lui viendrait jamais à l'idée d'accrocher de tels engins au-dessus de son lit. Julien, lui, a toujours trouvé aux armes un petit quelque chose de fascinant.

– Eh bien moi, déclare-t-il, je trouve la Winchester très belle.

– Attendez, intervient Tony. J'ai gardé le meilleur pour la fin.

Il sort alors d'une armoire un long étui en cuir et en retire un impressionnant fusil de chasse, à la crosse sculptée et au métal luisant et noir.

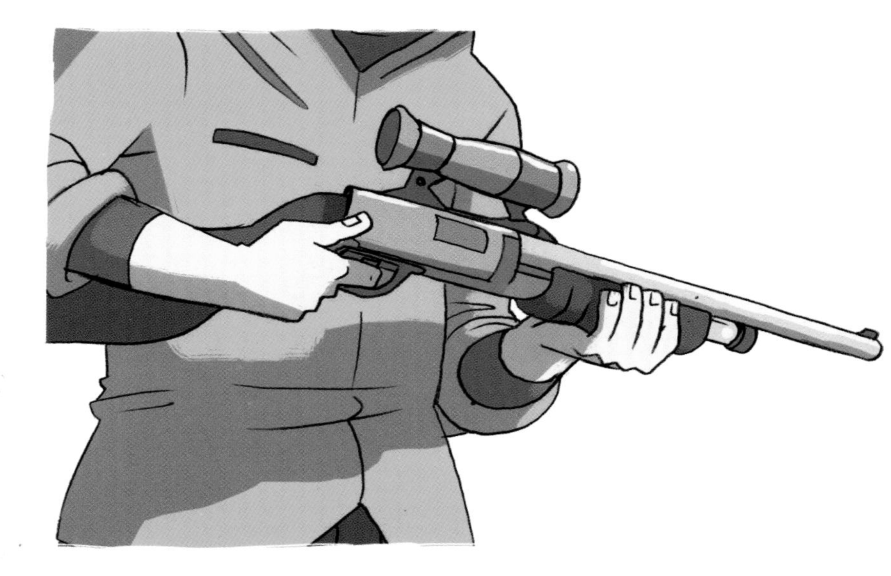

– Celui-là, déclare-t-il avec fierté, je l'ai hérité de mon grand-père. Avec sa lunette, je peux faire mouche à un kilomètre. Parce que, vous savez, sans me vanter, au tir, je suis champion. Ça vous dirait d'essayer ?

– Je n'ai jamais tiré au fusil de ma vie, répond Julien. Je n'ai même jamais tenu une arme en main. Alors oui, moi, ça me…

Claire, qui s'est tournée vers l'autre mur de la chambre, ne laisse pas achever son frère.

– Excuse-moi, Tony, mais je voudrais savoir : ces trophées… ils viennent d'où ?

– Ça, répond Tony, ce sont les souvenirs des plus beaux animaux que j'ai abattus. Le mieux, je crois, ce sont les cornes de pronghorn[1].

– Abattus ? s'effraie Julien.

– Oui, je suis chasseur. Il ne manque plus qu'un loup à mon tableau de chasse.

[1] Pronghorn : antilope américaine à corne fourchue appelée aussi « antilocarpe ».

Venus observer des loups à Yellowstone, les Sauvenature découvrent que ces animaux y sont peu appréciés…

Chapitre 2

Une déception

Les Sauvenature ne s'attendaient pas à ce que Tony soit un chasseur. C'est la première fois qu'ils sont amenés à discuter avec l'un d'eux.

– Qu'est-ce que tu apprécies dans la chasse ? questionne Thomas. Le fait de tuer ?

– Ce que j'aime, répond Tony, c'est me trouver en pleine nature et pister l'animal. Pour m'en approcher, je dois découvrir et comprendre sa manière de vivre. Si vous voulez, poursuit-il, je vous invite à une partie de chasse !

Claire dévisage un instant Tony. Avant d'apprendre qu'il était chasseur, elle le trouvait plutôt craquant. Elle aurait aimé découvrir les environs en sa compagnie. Mais à présent...
– Désolée, souffle-t-elle, je préfère observer les animaux vivants.
– Qu'est-ce qui vous arrive ? s'étonne Tony. J'ai dit quelque chose qu'il ne fallait pas ?

Monsieur Henry fait tout à coup irruption dans la chambre.
– Ah vous êtes ici ! Votre mère et moi, nous vous cherchions partout.

Il aperçoit les armes exposées au mur et ajoute :
– Oh là ! Voilà un endroit bien défendu !

Julien précise :
– Tony vient de nous apprendre qu'il est un as de la gâchette.
– Ah mais, réplique Monsieur Henry, moi aussi !

Le père des Sauvenature descend à toute allure au salon. Il remonte avec l'un de ses sacs de matériel et en extrait un appareil photo.

– Voici mon arme favorite, déclare-t-il. Calibre de 55 à 135 mm, rafales de quatre tirs à la seconde. Stabilisateur de visée et mise au point par nouvelle technologie à ultrasons. On pourrait presque « flasher » une mouche en vol.

Tandis que Monsieur Henry explique à Tony comment fonctionne son reflex numérique, Claire entraîne ses frères hors de la chambre.
– Je suis franchement trop déçue, confie-t-elle en descendant l'escalier.
– Que se passe-t-il ? demande Madame Henry, confortablement installée devant le feu.

Thomas répond :
– Tony, le fils de Monsieur Anderson, est passionné par les fusils et la chasse.
– Oui, renchérit Claire, gagnée par la colère. Il « adore » se promener dans la nature… pour massacrer des animaux !

– Il n'a pas dit ça, nuance Julien.
– Mais ça revient à ça, non ?
– « Massacrer » est exagéré, tempère Thomas. Tony possède certainement un permis. Il ne fait rien d'interdit.
– Oui, eh bien moi, s'enflamme Claire, je déteste la chasse et les armes à feu ! Et c'est mon droit ! Alors, les garçons, faites ce que vous voulez ! Moi, je vais appeler Douglas. Au moins avec lui, si je vois des loups, je suis sûre qu'ils resteront en vie !

Le lendemain, une motoneige à remorque, pilotée par un grand gaillard barbu, arrive au Ranch Anderson : c'est Douglas. Claire est ravie ! Pendant que Monsieur et Madame Henry iront à la rencontre des geysers et des bisons, il a accepté de l'emmener deux jours dans un affût* construit en pleine forêt afin d'observer les loups.

– Nous ne pourrions pas vous accompagner, Thomas et moi ? interroge Julien.
– Je veux bien, répond Douglas, mais je n'ai qu'une place à l'arrière de ma motoneige.
– Monsieur Anderson en loue, rappelle Monsieur Henry. Julien a l'habitude de ce genre d'engins ; il peut en conduire une et prendre son frère comme passager. Ça te convient ?
– Parfait, estime Douglas. Que tout le monde se prépare : sac à dos, nourriture, sac de couchage, vêtements polaires…

– Génial ! s'écrie Julien qui raffole d'aventure. J'emporte notre caméscope ! Nous aurons bientôt de nouveaux clichés à mettre en ligne sur notre blog !

Thomas aussi est heureux, bien qu'en même temps il soit un peu angoissé.

– *Brrr,* tu entends ça, mon Wifi ? murmure-t-il en prenant son furet dans ses bras. Nous allons partir en motoneige à la rencontre des grands méchants loups !

– Vous voyez les arbres près de la cascade ? dit Douglas. Ce sont des peupliers-trembles. Avant la réintroduction des loups en 1995, ces arbres étaient en voie de disparition. Les wapitis, trop nombreux, ne cessaient de les brouter. Grâce aux loups qui se nourrissent de wapitis, les peupliers-trembles poussent à nouveau un peu partout. D'autres animaux qui ont besoin d'arbres pour vivre en profitent. C'est notamment le cas des castors. Eux aussi, grâce aux loups, sont aujourd'hui plus nombreux.

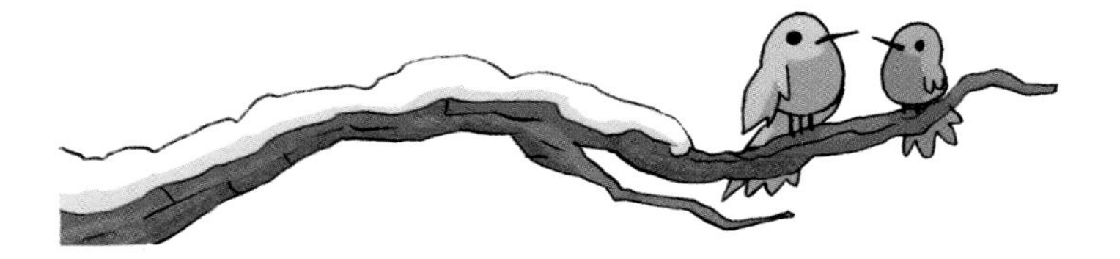

– Mais alors, interroge soudain Thomas, pourquoi certains hommes veulent-ils supprimer les loups ?
– Parce qu'ils s'attaquent aux moutons des éleveurs ? suggère Julien.

– En partie, répond Douglas. Pourtant d'autres espèces agressent aussi les troupeaux, les coyotes, par exemple. Dans cette région, il y a cinq ans, ces espèces de grands chiens sauvages ont tué vingt fois plus de brebis que les loups. Personne n'a réclamé l'éradication* des coyotes pour autant. Ceci dit, je comprends la colère des éleveurs dont les troupeaux se font attaquer et je respecte leur travail. Aussi, je suis pour l'abattage des loups qui s'en prennent aux moutons. En contrepartie, les éleveurs doivent faire un effort et utiliser des moyens qui réduiraient les risques pour eux.
– En protégeant les troupeaux avec de gros chiens patoux ? intervient Thomas.
– Exactement, et aussi en changeant plus souvent les troupeaux de place. Ainsi je pense que les loups et les hommes pourraient apprendre à cohabiter.

Les heures s'écoulent, l'impatience grandit.

Quelques corbeaux ont repéré la carcasse du wapiti et tentent de la picorer. Comme ils ne parviennent pas seuls à déchirer la peau, ils poussent de longs cris pour attirer les loups qui feront ce travail à leur place. Mais aucune meute n'apparaît au bord du cours d'eau.

La nuit tombe. Les uns après les autres, les Sauvenature s'endorment. Il est quatre heures trente du matin lorsque Douglas, vaincu par la fatigue, ferme les yeux à son tour.

Au lever du jour, les Sauvenature et Douglas sont encore plongés dans un profond sommeil. Tout à coup, Wifi se réveille en sursaut et bondit sur Claire, Thomas et Julien.

– Mais enfin, bredouille Thomas, enfoncé jusqu'aux oreilles dans son duvet, qu'est-ce qui lui prend ?

– Plus bas ! souffle Douglas, réveillé à son tour. Votre furet cherche sûrement à nous prévenir. Il a senti l'odeur des loups !

Claire se redresse jusqu'à l'une des visières du mur et pointe ses jumelles vers la cascade :

– Je les vois ! chuchote-t-elle. Il y en a sept ! Oh qu'ils sont beaux ! L'un d'eux est vraiment magnifique ! Sa fourrure est blanche comme la neige et… oh c'est curieux, on dirait qu'il a les yeux rouges !

– Nom d'un chien, s'enflamme Douglas, tu as raison. C'est exceptionnel ! C'est un loup albinos* !

– Tu filmes ? demande Thomas à son frère qui s'est emparé du caméscope.

– Et comment ! répond Julien. Je ne vais pas manquer ça. Malheureusement nous sommes loin et le zoom n'est pas assez puissant. Je ne parviens pas à filmer en gros plan.
– Moi, j'ai ce qu'il faut, dit Douglas en fouillant dans son sac de matériel photographique. Donnez-moi encore cinq petites secondes pour enclencher mon téléobjectif et ces photos feront la une de tous les magazines nature !

Douglas se relève et pointe son appareil photo vers la meute de loups. Il n'a pas le temps de le régler qu'une détonation déchire le silence de la forêt. Un loup gris à côté de l'albinos s'effondre. Toute la meute détale ventre à terre.

Après une longue nuit d'attente, une meute de loups fait son apparition. Soudain, un coup de feu retentit...

Chapitre 4

Un tireur mystérieux

– Qu... que s'est-il passé ? balbutie Thomas.
– Un chasseur a tiré, dit Douglas. Suivez-moi !

Claire, Thomas et Julien sortent de l'affût et courent jusqu'à la cascade. Ils trouvent le loup couché sur le flanc. Ses yeux sont fixes. Douglas s'avance prudemment.
– Il ne respire plus, annonce-t-il. Vous pouvez approcher.

C'est la première fois que les Sauvenature assistent à la mort d'un animal. Ils en ont le cœur chaviré. Lentement, Claire s'avance.

Elle s'agenouille et tend une main vers le corps du loup.

– Quelle fourrure épaisse et douce ! souffle-t-elle. Et ses yeux verts, regardez comme ils sont extraordinaires !

Tandis que Thomas et Julien font silence, Wifi pousse un cri plaintif. Claire se sent brusquement envahie par la colère, par une grande tristesse aussi.

– Qui a fait ça ? crie-t-elle en se tournant vers la forêt. Qui a fait ça ?

Sa voix se perd en écho dans la montagne environnante. Personne ne répond.
– À mon avis, marmonne Douglas, le tireur visait le loup albinos : sa fourrure blanche est un trophée recherché. Le coup de feu venait de loin. Le temps que la balle arrive, ce loup a bougé et c'est son voisin qui a été touché.

Thomas est tellement ému qu'il en a la gorge nouée.
– Pourquoi avoir tué ce loup ? Il n'attaquait aucun troupeau...

– Il n'y a pas que des éleveurs qui détestent les loups, soupire Douglas. Certains chasseurs les accusent de tuer trop de gibier et de les empêcher ainsi de pratiquer leur loisir. Ils ne le supportent pas et leur tirent dessus. Je crois pourtant que la vraie question est là : quelle place nous, les êtres humains, acceptons-nous de laisser aux animaux sauvages ? Si nous abattons toutes les espèces qui nous dérangent, la liste des animaux en voie d'extinction n'a pas fini de s'allonger…
– Et ce n'est pas interdit de tirer sur un loup ? s'étonne Julien.
– Le parc national ne commence qu'à deux kilomètres plus au sud. Ici, les loups ne sont pas protégés, répond Douglas d'une voix navrée.
– On pourrait essayer de retrouver la trace du tireur et lui demander des explications, propose Julien.

Douglas fait non de la tête :
– Regardez, il commence à neiger. Ce chasseur était loin et sa piste sera bientôt effacée. Nous allons plutôt replier notre matériel et rentrer.

Les Sauvenature sont sous le choc. Après un retour difficile au ranch à travers une forte averse de neige, ils montrent à leurs parents, à Monsieur Anderson et à Tony, les images qu'ils ont filmées.

En revoyant à l'écran le loup qui s'effondre, Claire est à nouveau envahie par le chagrin. D'une voix peinée, elle demande :
– Tony, tu ne saurais pas qui a tiré par hasard ?
– Ça changerait quoi ? marmonne-t-il. Ce loup est mort à présent. Que pourrais-tu lui dire à ce chasseur ?

Claire fixe un long moment le jeune garçon dans les yeux. Puis elle murmure au bord des larmes :

– Je lui dirais, Tony, que je ne comprends pas qu'on puisse tuer des animaux pour s'amuser. Et que je suis si triste que j'ai envie de pleurer.

– Tu le dirais sans colère ?

– Oui, répond Claire, sans colère.

– Je suis désolé, fait Tony en détournant les yeux. Je ne sais rien et je dois aller nourrir les moutons de mon père.

Il enfile une veste, ouvre la porte extérieure et disparaît dans les bourrasques chargées de neige.

Les Sauvenature sont sous le choc : un loup a été abattu sous leurs yeux. Ils comptent bien trouver le coupable.

Chapitre 5

La preuve

Les Sauvenature discutent de la mort du loup le reste de la journée.

Pour Thomas, cela ne fait aucun doute : le tireur est Tony.

– Je le soupçonne aussi, annonce Julien. Il a très bien pu rentrer avant nous et jouer les innocents.

– C'est vrai, admet Claire. Il ne semblait pas très à l'aise lorsque je l'ai questionné. Si nous avions une preuve, je retournerais lui parler.

– J'ai peut-être une idée, souffle Thomas.

Le plus astucieux des Sauvenature, Wifi juché sur son épaule, emmène son frère et sa sœur à l'extérieur. Il leur montre les caméras de surveillance dont sont équipées les différentes étables, comme cela est courant aux États-Unis.

– Puisque les motoneiges sont rangées dans une des étables, je pourrais tenter d'accéder à l'ordinateur qui les contrôle, propose Thomas. En fouillant dans les images enregistrées, nous verrions si, oui ou non, Tony est parti ce matin à la chasse au loup.

Claire s'exclame, ravie :

– Frérot, tu es un génie !

Thomas sort aussitôt son ordinateur de ses bagages. Il le branche sur la connexion Ethernet* de sa chambre et se met à l'ouvrage. Il tente tout l'après-midi et une partie de la nuit de se faufiler dans le réseau de Monsieur Anderson. Sans résultat.

Il en faut cependant plus pour décourager Thomas.

Après quelques courtes heures de sommeil, il engloutit un énorme paquet de biscuits et se remet au travail.

Il est dix heures du matin lorsqu'il lance un cri de victoire.

– J'y suis ! Venez voir ! Tony a bien pris une motoneige hier, avant que le jour ne se lève !

Julien et Claire accourent. Les Sauvenature observent ensemble l'image de près.
– C'est bien lui ! fait Julien. On aperçoit même l'étui de son fusil de chasse sur son dos.

Claire veut aussitôt aller trouver Tony dans sa chambre.
– Un instant, intervient Thomas resté devant son ordinateur. J'ai peur qu'il ne soit pas là. Regardez ces autres images, elles datent de ce matin !
– Quoi ! s'effraie Claire en regardant l'écran. Tu veux dire qu'il est retourné chasser ?

– En tout cas, précise Julien, il est parti et il a emporté son étui.
– Alors, répond Claire, nous devons l'arrêter à tout prix avant qu'il ajoute la fourrure du loup albinos à ses trophées.

Les Sauvenature cherchent une solution. Leurs parents étant absents, Julien suggère d'appeler Douglas en urgence, mais Claire rétorque :
– Le temps que Douglas arrive ici, il sera trop tard. Prenons plutôt deux motoneiges et suivons la trace de Tony ! Il a neigé toute la nuit. Ça doit être possible !

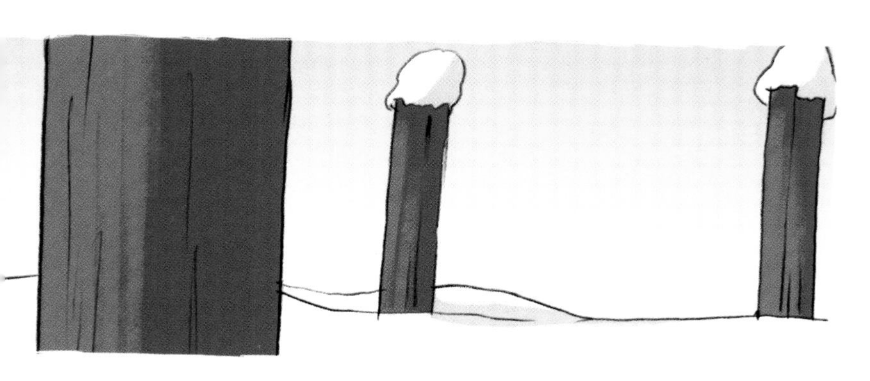

Les Sauvenature courent jusqu'au hangar. Claire démarre en tête avec Wifi, Julien suivant derrière avec Thomas qui se cramponne à son frère de toutes ses forces.

Durant près de deux heures, ils foncent à travers des bois enneigés et sauvages. Lorsqu'ils rejoignent enfin la motoneige de Tony, les trois enfants chaussent leurs raquettes et, sans prendre le temps de souffler, ils se lancent sur les traces du jeune chasseur qui a continué à pied à travers les rochers.

– Plus vite ! Plus vite ! répète Claire pour encourager ses frères. Nous devons à tout prix le rejoindre avant qu'il n'abatte le loup blanc !

Mais un coup de feu transperce soudain le silence de la forêt.

– Oh non ! s'exclame Thomas. Ce n'est pas possible !

Tony vient-il de tuer le loup blanc ? Il y a peu de chance en tout cas qu'il ait manqué sa cible une seconde fois.

Les Sauvenature se pressent vers l'endroit d'où est venu le coup de feu. Ils dévalent une forte pente et aboutissent, hors d'haleine, aux abords d'un défilé rocheux.

Tout à coup, Tony apparaît devant eux. Il porte son colt à sa ceinture.

– Ça y est, annonce-t-il, ravi. Je l'ai eu ! Je l'ai eu !

Wifi se hérisse. Les Sauvenature restent interdits.

– Tu as tué cette bête rarissime ! murmure Julien, désolé.

Tony dévisage les Sauvenature et lève les mains.

– Attendez ! bredouille-t-il. Vous vous trompez, je … Regardez !

Il ouvre le sac qu'il porte en bandoulière. À la grande surprise de Claire, Thomas et Julien, il en extrait un appareil photo muni d'un téléobjectif.

– C'est votre père qui me l'a prêté avant de partir ce matin. J'ai même le pied télescopique qui va avec, dans mon étui à fusil.

Tony s'approche et montre sur l'écran miniature de l'appareil une dizaine de clichés superbes du loup albinos en train de courir dans la neige.

– Je ne comprends pas, déclare Thomas. Qui a tiré le coup de feu tout à l'heure ?

– C'est moi, répond Tony. Je connais bien cet endroit. J'ai tiré en l'air avec mon colt pour effrayer la meute et la rabattre vers les rochers où j'avais installé l'appareil. La méthode est un peu énergique, mais comme je connais un raccourci, elle a fonctionné.
– Et hier ? interroge Claire. C'était toi ?

Tony baisse un instant les yeux, puis les relève.

– Cela ne va pas vous plaire, mais oui, c'était moi.

– Pourquoi as-tu tué ce loup ? demande Julien.

– Parce que, explique Tony, depuis que je suis petit, mon père a toujours dit que les bons loups sont les loups morts. Et parce qu'on a toujours chassé dans la famille. J'ignorais hier que vous étiez près de la cascade. Je ne vous ai vus qu'après, avec ma lunette de tir. J'ai vu vos visages près du loup mort… et votre tristesse, surtout la tienne, Claire. Ça m'a secoué et je me suis enfui. Depuis j'ai réfléchi, et je vous jure que c'est avec ce genre d'équipement que je vais chasser désormais ! Alors si vous voulez bien qu'on recommence à zéro et que, cette fois, on devienne vraiment amis…

Tony, ému par la peine des Sauvenature, promet de ne plus jamais chasser et de se consacrer désormais à la photographie.

Chapitre 6

Un chasseur d'un nouveau genre

Dix jours se sont écoulés. Plusieurs des photos de Tony ont déjà été publiées dans la presse. Grâce à cet argent, le jeune garçon s'est acheté son propre matériel photographique.
– Allez, murmure Claire en le poussant du coude, annonce la nouvelle à ton père.
– Nous sommes avec toi, ajoutent Julien et Thomas.

Tony respire alors un grand coup et s'avance vers Monsieur Anderson qui est en train de nourrir les bêtes dans l'étable.

– Papa, j'ai pris une grande décision. J'aime toujours autant les fusils, mais je ne tirerai plus que sur des cibles d'argile. Je veux devenir chasseur d'images ! Je voudrais aussi que l'on change notre manière d'élever nos moutons afin de moins tenter les loups.

Monsieur Anderson enfonce sa fourche dans le foin et pousse un soupir.

– Décidément, depuis l'arrivée des trois petits Français, tu n'es plus pareil. Dis-moi seulement : qu'allons-nous gagner à protéger les loups ?

Comme une réponse, un coup de klaxon retentit dans la cour du ranch. Monsieur Anderson jette un coup d'œil et s'étonne :

– Qu'est-ce que ce minibus fait ici ?

– Excusez-moi ! fait un homme descendu du véhicule. Est-ce bien par ici que le loup albinos a été photographié ? J'ai tout un car de touristes qui voudraient se rendre à l'endroit où la photo a été prise.

Surpris, Monsieur Anderson se retourne vers son fils et, lentement, se met à sourire. Il rejoint ensuite l'homme descendu du car et déclare :
– Monsieur, vous ne pouviez pas mieux tomber ! Ici, depuis peu nous aimons les loups, surtout le loup blanc ! C'est même mon fils qui l'a photographié ! Soyez donc les bienvenus dans mon gîte. J'ai de quoi tous vous loger.

Cachés derrière Monsieur Anderson et Tony, les Sauvenature échangent un clin d'œil. Une fois de plus, ils ont gagné !

1
2

❶ L'auteur

Jean-Marie Defossez a longtemps étudié les animaux. Il a même fait des prises de sang à des escargots. C'est dire ! Depuis quelques années, il a abandonné ses seringues et préféré le stylo.
Il n'a jamais eu affaire aux loups mais à leurs cousins les renards qui lui ont mangé de très nombreuses poules... N'empêche, il pense tout de même que ces animaux, même s'ils dérangent par certains côtés, ont leur place comme nous.

❷ L'illustrateur

Animal nocturne, le **Fabien** est assez discret. Il a grandi en Seine-et-Marne, et a fait son apprentissage du dessin aux Arts Décoratifs de Strasbourg. Omnivore, il se nourrit surtout de cinéma, de dessins animés et de bandes dessinées. Avec un peu de chance, on peut le surprendre dans sa tanière aiguisant ses griffes et ses crayons sur quelques feuilles.

Table des matières

Achevé d'imprimer en juillet 2008,
chez Clerc (France).